Contes et Merveilles

Illustrations de L. Crismer et de J.-L. Macias S.
Texte de Marie Duval
Éditions Hemma

Cendrillon

Il était une fois un riche seigneur, qui se remaria en secondes
noces avec une femme dont le cœur était aussi noir
que les ténèbres. Elle emmena avec elle Javotte et Anastasie,
ses deux filles, aussi bêtes que méchantes.

Les trois chipies s'installèrent donc au château avec des airs
de grandes dames. Mais, plus les jours passaient, plus elles avaient
du mal à cacher leur vilain caractère. Et lorsque son père mourut,
Cendrillon devint rapidement leur souffre-douleur et leur servante.
– Cendrillon, n'oublie pas de laver les tentures et de frotter le parquet;
tous les travaux ménagers ont pris un grand retard...
Chaque jour, de nouvelles corvées frappaient la pauvre fille, qui
subissait dignement les humiliations que lui infligeaient ces mégères.

– Un peu d'attention, mesdemoiselles, j'ai une grande
nouvelle à vous annoncer ! Le prince vous invite au bal qu'il
donnera ce samedi au château royal.
– Maman, maman, nous devons y aller ! Il nous faut
des nouvelles robes, des bijoux, des souliers...
– Cendrillon, toi, tu resteras à la maison, tu n'as pas de robe
et tu es bien trop gourde pour faire la révérence !
ajouta Javotte.

Cendrillon, bien qu'elle eût le cœur gros, exécuta
sans dire un mot les ordres de ces chipies.
– Fais donc attention, tu me tires les cheveux !
– Comme je suis jolie, n'est-ce pas, Cendrillon ?
ricanait Javotte. Je suis tout en beauté ; ce soir,
le prince n'aura d'yeux que pour moi !
– C'est moi qu'il remarquera, cria Anastasie.
– Non, moi...
– Allons, gronda la mère, est-ce ainsi que se comportent
des jeunes filles du monde ?

Alors que le carrosse emmenait les trois mégères au bal,
Cendrillon s'effondra en larmes.
– Et moi, je reste seule ici !
– Oh, oublie donc tout cela, dit le vieux Médor,
ces bals sont d'un ennui, avec toutes ces dames guindées,
ces messieurs en costume serré...
– Mais le prince... soupira Cendrillon.
Malgré les paroles réconfortantes de tous ses petits amis,
le cœur de Cendrillon restait inconsolable...
Tout à coup, une minuscule étoile filante traversa le ciel
et se posa aux pieds de la jeune fille !

– Oh là là ! C'est chaque fois la même chose, dit une petite voix, j'étouffe,
je n'ai pas de place... cette étoile est trop petite... la prochaine fois,
j'opterai pour un modèle plus grand. Et houp là ! me voilà !
Cendrillon sursauta. À côté d'elle apparut une petite dame rondelette,
vêtue d'une longue robe de velours. Elle tenait dans ses doigts
une baguette magique.
   – Eh oui ! Ne t'effraie pas, je suis ta bonne fée... Mais tu es en retard,
   dépêchons, dépêchons.

Dans un tourbillon d'étoiles et de formules abracadabrantes,
la fée agita sa baguette magique et la pointa sur tout ce qu'elle voyait.
Elle transforma ainsi des souris en chevaux, des écureuils en laquais
et une grosse citrouille en un carrosse somptueux, tout en or !
– Mais, mais, s'inquiéta Cendrillon, que faites-vous ?
– Tu n'as donc pas compris ? Ce soir, tu vas au bal, au bal du prince !
– Au bal du prince !
Les yeux de Cendrillon se mirent à briller...

– Voyons, voyons, n'ai-je rien oublié ? Ah, mon Dieu, le cocher !
Un carrosse sans cocher n'a pas fière allure ! Ce soir, mon vieux Médor,
oublie ta queue et tes oreilles, tu conduiras Cendrillon au bal.
Et hop là ! Voilà, voilà, le travail est fait.
Ouh ! Je me fais un peu vieille ; après tout,
j'ai trois cents ans...
La petite fée s'assit et soupira profondément.

– Allons, Cendrillon, qu'attends-tu ? Monte !

– En haillons ?

– Sapristi ! En robe, bien entendu. Encore un petit effort,
baguette magique. Des yeux bleus, des cheveux blonds,
je vois ce qu'il faut.

Cendrillon fut enveloppée d'un nuage d'étoiles scintillantes,
puis reparut vêtue d'une robe de velours et d'or. Ses pieds
étaient enserrés dans de mignonnes pantoufles de verre.

– Une chose encore, dit la fée, aux douze coups
de minuit, le charme se brisera
et tu devras être rentrée...

Toutes les princesses du royaume étaient au bal, parées de leurs plus beaux atours. Elles entouraient le prince en lui faisant les yeux doux.
Cendrillon entra alors dans la salle des fêtes comme un rayon de lumière.
Le prince la vit aussitôt et s'avança vers elle, se débarrassant tant bien que mal de toutes ces dames qui l'accaparaient. Il prit délicatement la main de la belle et dansa avec elle toute la soirée.
– J'ai déjà vu cette fille quelque part ! réfléchissait la vilaine marâtre.
Les aiguilles de la grande horloge avançaient inexorablement ; puis, tout à coup, les douze coups de minuit sonnèrent ! Cendrillon, effrayée, s'arracha des bras du prince et s'enfuit !
Mais, dans sa course, elle perdit une de ses pantoufles de verre...

Comme l'avait prédit la fée, le charme se brisa. Le carrosse reprit
la forme d'une citrouille, les souris se regardèrent, étonnées
de ne plus être des chevaux, tandis que Médor aboyait de joie.
Hélas, la belle princesse avait retrouvé ses misérables haillons !
– Médor, ce fut la plus belle soirée de ma vie, nous avons dansé
sous les étoiles, le prince et moi. Je l'aime, dit Cendrillon.
Elle ajouta encore : Merci, bonne fée, mille fois merci.
Maintenant, hâtons-nous, le chemin est encore long.

– Qui était cette jeune fille ? Une princesse ? Un fantôme ? Il faut
absolument que je la retrouve ! Et même si je dois parcourir tout le pays,
et chercher dans chaque maison, dans chaque chaumière,
je la retrouverai ! dit le prince. Heureusement, elle a perdu
une de ses pantoufles.
Ecoute, Pierre, dès demain à l'aube, tu partiras avec cette chaussure
et tu la feras essayer à toutes les jeunes filles du royaume.
Celle qui pourra la chausser, je l'épouserai !
– Oh, oh ! Demain, à l'aube... tout le royaume ? soupira le valet.
– Oui, oui, aux premiers rayons du soleil ! insista le prince.
Tenant la chaussure dans ses mains, le prince marcha encore
de longues heures, à travers le parc en pensant à la belle inconnue.
Cette nuit-là, il trouva difficilement le sommeil...

Le lendemain, le moment vint où le valet frappa à la porte des chipies.
Javotte et Anastasie tentèrent à maintes reprises de faire entrer leur pied
dans la pantoufle, mais en vain, ceux-ci étaient bien trop gros et gras !
– N'y a-t-il personne d'autre ici ? demanda le valet.
– Oh non, seulement une souillon... notre servante, vous n'y pensez pas...
– J'insiste, Madame, toutes les jeunes filles du royaume doivent essayer
la pantoufle. Donnez votre pied ! ordonna-t-il à Cendrillon...
Miracle ! C'est elle, s'écria le valet, ce soulier lui va parfaitement !
Au même instant, Cendrillon sortit de sa poche l'autre pantoufle.

Alors, la bonne fée de Cendrillon se remit au travail.
D'un coup de baguette magique, elle changea les vêtements
de la pauvre souillon en ceux d'une princesse de rêve.
– Comme elle est belle ! s'écrièrent Javotte et Anastasie.
Elles se jetèrent alors à ses pieds pour lui demander pardon
de tous les mauvais traitements qu'elles lui avaient infligés.
Cendrillon, qui était aussi bonne que belle, n'hésita pas
un instant :
– Je vous pardonne, dit-elle.

Le soir même de cette merveilleuse journée, Cendrillon rejoignit
le prince dans le parc du château.
Ils échangèrent leur premier baiser et se jurèrent à jamais amour
et fidélité.
– Je suis ému, ému, soupira le vieux hibou en pleurant de joie.
Et là-haut, dans le ciel, une petite étoile rondelette souriait tendrement...

La Belle et la Bête

Dans une forêt profonde vivait, il y a bien longtemps,
un prince qui ne connaissait ni bonté ni compassion.
Un jour, une pauvre vieille vint le voir, lui demandant
le gîte pour la nuit, car il faisait très froid.
Mais le prince refusa et chassa la vieille
loin de son château.

La nuit suivante, un enchanteur déguisé en mendiant apparut au prince.
– Toi qui es sans cœur et sans pitié, je te punis pour avoir chassé
une pauvre vieille sans abri. Sois maudit !
Le magicien jeta un terrible sort sur le prince... Étendant le bras,
il le transforma en une bête féroce !
  – Écoute ce que j'ai encore à te dire : voici cinq roses, elles représentent
cinq années de ta vie. Durant ce temps, tu devras
apprendre à devenir bon et, surtout, à te faire aimer.
Si tu réussis, le maléfice te quittera, mais si
au contraire tu échoues et que les roses se fanent,
au bout de ces cinq années, tu resteras une bête
à tout jamais !
  À ces mots, l'enchanteur disparut, laissant
le prince à son triste sort.

À partir de ce jour, un long chemin
de pénitence commença pour
le prince. Plus jamais, il ne refusa
de pain à un égaré, un pèlerin
ou un pauvre hère. Il ouvrit grand
les portes de son château, offrant
un repas et un lit à tous ceux
qui passaient par là. Mais la Bête
ne se montra jamais. Terrifiée par
sa laideur, elle s'enferma dans
l'une des chambres du donjon comme
un animal dans sa tanière, laissant
à ses domestiques le soin de s'occuper
de tous les hôtes de passage.
Un soir, un bijoutier qui s'était égaré,
frappa aux portes du château.

Après s'être reposé, le bijoutier se leva de bonne heure
et s'apprêta à reprendre son chemin, lorsqu'il vit
dans le jardin les cinq merveilleuses roses.
– Quel parfum ! Je vais en cueillir une pour ma fille,
pensa-t-il.
La Bête, voyant cela du haut de son donjon, entra
dans une terrible colère !
– Qu'as-tu fait, malheureux ? Cette rose, c'est
une année de ma vie ! Je devrais te tuer.
Le vieil homme se mit à trembler.
– Me tuer... pour cette rose... je pensais... pour
ma fille...
– Ah, tu as une fille ? Eh bien, qu'elle vienne vivre
à jamais avec moi au château ! En échange,
je te laisse la vie sauve. Si elle ne vient pas,
sache que je te retrouverai, où que tu sois !

– Voici mon cheval, il s'appelle Magnifique, lui avait dit le prince,
les chemins de la forêt n'ont pas de secret pour lui.
De retour à la maison, le bijoutier raconta sa terrible mésaventure
à sa fille, Belle, et la supplia de ne pas se rendre au château de la Bête.
– Père ! Ne crains rien, la Bête ne me fera aucun mal. J'irai vivre là-bas !

Belle prépara toutes ses affaires, embrassa son père et quitta
la maison aussitôt. Le cheval du prince emporta la jeune fille
au galop à travers la forêt, jusqu'au château. La Bête était là,
elle attendait impatiemment. Lorsqu'elle vit Belle, la Bête s'inclina
devant elle.
– Vous êtes la bienvenue, vous êtes ici chez vous à présent,
ce château est votre demeure.
Mais Belle ne put s'empêcher de sursauter de frayeur
devant l'aspect repoussant de la Bête.
– Je ne pourrai vivre avec ce monstre ! se dit-elle.
Père, vous me manquez déjà.

Les saisons passèrent, et la frayeur qu'éprouvait Belle
à la vue de la Bête s'était peu à peu transformée
en compassion, voire même en tendresse.
Le prince maudit la couvrait de bijoux, lui offrait
des robes, des livres. Ils passaient des journées entières
à visiter la campagne environnante, pleine de beautés.
– C'est le paradis ! Si j'étais une fée, je viendrais m'installer
ici à jamais, s'exclama Belle.
– Mais vous êtes une fée, vous m'avez déjà rendu la vie
plus douce que jamais ! répliqua la Bête.

Chaque jour qui passait unissait un peu plus la Belle et la Bête.
Un lien bien plus fort que l'amitié... N'était-ce pas de l'amour ?
Une année s'était encore passée et l'hiver était de retour.
Tous les matins, le prince et la jeune fille apportaient des graines
aux oiseaux.
– Belle, tu sembles si triste aujourd'hui...
– Je me languis de mon père, j'aimerais tant le revoir...
– Je te rends ta liberté pour quelques jours, lui dit la Bête.
Mais auparavant, je t'offre un miroir magique :
quand tu le désireras, tu pourras m'y voir...

Belle passa encore une journée au château. Et le lendemain, chevauchant Magnifique,
elle quitta le prince, alors que le soleil passait à peine la cime des arbres.
– Je reviendrai très bientôt, dans quelques jours, lui promit-elle.
– Je t'attendrai, chuchota la Bête.
À grandes foulées, le pur-sang emmena la jeune fille en frappant le sol de ses sabots.
Bien vite, Belle disparut dans la forêt, laissant comme seuls souvenirs des traces
dans la neige.
– Me voilà seul à nouveau, soupira la Bête tristement, reviendra-t-elle ?
La tête basse, le prince retourna au château.

Quand le bijoutier revit
sa fille, il se mit à pleurer
de joie.
– Belle, Belle, tu es
de retour, ma petite fille,
tu m'as tellement manqué !
Longuement, ils restèrent
enlacés. Mais Belle avait
hâte de tout raconter à
son père, sa vie au château,
ses merveilleuses
promenades dans la forêt
avec la Bête, dont le cœur
était si bon et si généreux.

Deux semaines s'étaient écoulées... Belle n'avait pas tenu
sa promesse : elle était restée près de son père, oubliant
le temps et les jours qui passaient. Tout à coup, elle se rappela
le miroir et les paroles du prince.
– Regardez, père, la Bête, elle se meurt, je dois y retourner,
je n'ai pas tenu ma parole.
– Ce soir ?
– Oui, il le faut. Magnifique connaît le chemin.
– Mais, mon enfant, l'aimes-tu donc, cette bête ?
– Père, ce n'est pas une bête...

Éclairée par la lune, Belle s'enfonça au galop dans la forêt profonde.
Magnifique était déchaîné, il mettait toutes ses forces dans cette folle
chevauchée. La bise glaciale frappait le visage de Belle, qui en avait
le vertige. Elle manqua à plusieurs reprises de perdre l'équilibre.
Son cœur battait la chamade...
– Encore un effort, Magnifique ! cria Belle, poussant l'animal
jusqu'à ses dernières limites.

Belle se précipita dans le parc du château, où était la Bête ?
Elle l'aperçut finalement près de la fontaine.
– La Bête, réveille-toi, je suis là !
– Belle, c'est toi, tu es de retour ?
– Oui, et je ne te quitterai plus, jamais plus.
– Les roses se sont fanées, les années sont passées... Je resterai
maudit, laisse-moi mourir !
– Non ! Tu n'as donc pas compris, je t'aime !
À ces mots, et avant que le dernier pétale de rose ne tombe,
l'enchantement se brisa !

Une lumière éblouissante enveloppa la Bête. La Belle recula
et fut prise d'une grande frayeur en voyant que tout le corps
du prince se transformait. Les griffes se changeaient en doigts;
Belle ne vit plus de museau ni de dents pointues, mais bien
un visage de jeune homme.
– La Bête, est-ce toi ? s'inquiéta Belle.
– Non, dit-il en prenant Belle dans ses bras, je suis libéré
du maléfice, je suis un homme, un prince à nouveau.
Et je t'aimerai jusqu'à la fin de ma vie, dit-il en donnant
un baiser à sa bien-aimée !

La gardeuse d'oies

*Il était une fois, une sorcière qui vivait dans la montagne avec une fille
très laide, qu'elle avait recueillie toute jeune. Un jour que la vieille dame
revenait de la vallée, lourdement chargée, elle demanda à un jeune
homme qui passait par là, de la porter, avec ses paniers, jusqu'à
son logis. Le jeune homme, qui était un prince étranger, accepta
de bonne grâce.*

Ils arrivèrent enfin à la maison de la sorcière.
La laide jeune fille, qui gardait les oies, vint à leur rencontre.
– N'êtes-vous pas fatiguée, maman ? demanda-t-elle à la vieille dame.
– Non, ma fille. Grâce à ce prince qui m'a portée, je me sens très
bien, répondit cette dernière.

Désirant récompenser le jeune homme pour tant de gentillesse
à son égard, la sorcière lui remit une perle magnifique.
Le prince, étonné de l'importance du cadeau, voulut le refuser.
– Non, prenez-le sans crainte, lui répondit la sorcière. Je ne manque
de rien ici. Prenez-le, répéta-t-elle, vous rendrez service et ferez des
heureux.

Tout content, le jeune homme décida d'offrir ce joyau à la reine du pays qu'il visitait. Celle-ci fut très troublée en voyant la perle, car c'était celle que portait sa fille le jour où elle avait disparu, il y avait de cela plusieurs années.

Retenant ses larmes avec peine, la reine expliqua qu'un jour,
dans un moment de colère, le roi avait banni sa fille, alors âgée de treize
ans. Aujourd'hui, il regrettait son erreur passée. Elle demanda au prince
de retourner dans la montagne, chez la vieille dame, pour savoir
ce qu'était devenue la fillette qui portait cette perle. Le jeune homme,
comprenant la douleur et l'espoir de cette mère, se mit immédiatement
en route.

Pendant ce temps, la sorcière parlait à la jeune fille :
— Tu as seize ans aujourd'hui, et tu dois savoir que tu es la fille d'un roi.
— Mais je suis bien trop laide pour être une princesse ! s'écria
la jeune fille.
— Ta laideur n'est qu'une apparence, poursuivit la vieille dame.

Elle ajouta :
– Demain, quand tu iras à la fontaine, penche-toi
sur l'eau et tu verras ton vrai visage.
Le lendemain matin, la jeune fille se mira dans l'eau et ne reconnut pas
son image tant elle était devenue jolie. Le prince, qui était revenu dans
la montagne, avait vu sortir la jeune fille et l'avait suivie discrètement. Il
avait assisté à sa transformation. Un silence profond régnait dans la
clairière; on n'entendait que la douce chanson de l'eau.

Le jeune prince vit la jeune fille se diriger vers la maison de la sorcière.
Il se précipita alors au palais royal et raconta aux souverains tout ce
qu'il avait vu.
– Qu'on attelle le carrosse, nous partons tout de suite ! s'écria le roi.

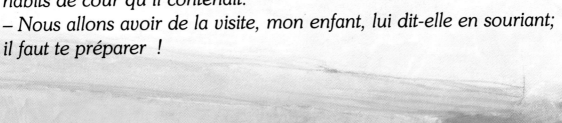

*La sorcière, au retour de sa protégée, la conduisit devant un grand coffre
en bois et lui conseilla d'enlever ses guenilles et de se parer des beaux
habits de cour qu'il contenait.*
*– Nous allons avoir de la visite, mon enfant, lui dit-elle en souriant;
il faut te préparer !*

De fait, le jeune prince et le couple royal arrivèrent bientôt
chez la sorcière. La reine, pleurant de joie, serra sa fille dans ses bras,
tandis que le roi lui demandait humblement pardon pour sa colère
passée.

La jeune princesse reçut de magnifiques joyaux, mais son cœur
se mit à battre très fort quand elle reconnut le jeune homme
qui avait aidé la bonne sorcière. Elle était bien laide, alors.
Le prince, conquis par son charme et sa grâce, demanda sa main.
Ce qui lui fut accordé sur-le-champ !

Leur mariage fut célébré trois jours plus tard, dans la joie générale.
La bonne sorcière, à la demande des jeunes époux, vint vivre près d'eux
au palais.

Le petit Chaperon Rouge

Dans un petit village construit à la lisière
d'une grande forêt, vivait, il y a très longtemps,
une jolie petite fille. Elle était si gentille et
si obéissante que sa grand-mère la chérissait et
la couvrait de cadeaux.

Quelle surprise pour la fillette lorsqu'un matin,
la vieille dame lui apporta un petit colis !
Délicatement, l'enfant le déballa et découvrit
avec des yeux émerveillés un magnifique
chaperon rouge ! La cape lui allait si bien que
tous les habitants du village l'appelèrent
désormais le petit Chaperon Rouge !

La grand-mère du petit Chaperon Rouge vivait seule, à la lisière de la forêt. C'était une vieille dame qui connaissait beaucoup d'histoires. Le petit Chaperon Rouge adorait l'écouter et, dès qu'elle le pouvait, elle allait lui rendre visite. Ce matin-là, sa maman avait cuit de délicieuses galettes.

– Porte ce panier à Mère-grand, qui est un peu souffrante, dit-elle à sa fillette, et, surtout, ne traîne pas en route ! lui recommanda-t-elle.

– Je vais prendre le chemin
le plus court, se dit l'enfant.
Pour cela, elle devait pénétrer dans
la grande forêt. Tout en marchant,
elle chantait avec les oiseaux.

Les rayons du soleil filtraient à travers le feuillage
des vieux chênes et l'enfant, insouciante, ne se doutait pas
que des yeux attentifs l'observaient à chaque pas.
Tout à coup, une tête surgit de derrière un tronc.
C'était le loup !
– Eh là ! jolie demoiselle, où allez-vous de ce pas ?
Le petit Chaperon Rouge, qui n'avait jamais vu de loup,
lui répondit très poliment :
– Je vais chez ma grand-mère.

– Dis donc, fillette, ta grand-mère habite-t-elle loin d'ici ?
– Elle vit seule dans une petite maison à la lisière de la forêt,
lui répondit le petit Chaperon Rouge.
Le loup fit encore un bout de chemin avec l'enfant,
puis il prit un autre sentier.
– À bientôt, peut-être ! Je suis pressé, dit le loup.
" Hum, hum ! je vais prendre un raccourci...
D'abord croquer la vieille mère, puis la fillette,
quel festin ! " jubilait-il.
" Drôle de rencontre ! " se dit le petit Chaperon Rouge,
puis elle n'y songea plus...

Comme il l'avait bien pensé, le loup était plus rapide que la fillette et il arriva le premier chez la vieille dame.
– Oh, oh ! ce sera encore plus facile que prévu, dit-il, elle dort, chut...
Discrètement, le loup passa sous la fenêtre et frappa à la porte.
– Qui est là ? demanda Mère-grand, réveillée en sursaut.
– C'est votre petite-fille, Chaperon Rouge, dit le loup d'une toute petite voix...

– Tire la chevillette et la bobinette cherra, dit la grand-mère.
La porte s'ouvrit alors avec fracas. En voyant le loup, la brave dame
se mit à hurler, mais l'animal plongea sur elle et la dévora toute crue !
Fier de lui, le gredin s'assit au bord du lit et se félicita de son plan
diabolique.

– Au tour de la petite, à présent ! Je dois me dépêcher,
elle va bientôt arriver.

– Voyons ce qui se trouve dans la garde-robe; il me faut
un bonnet et une robe de nuit. Oh là ! ne suis-je pas ravissant,
j'ai l'air d'une bonne vieille grand-mère. Ah ! quelqu'un
s'approche de la maison !
Le loup jeta un coup d'œil par la fenêtre et aperçut
le petit Chaperon Rouge. Aussitôt, il se précipita dans le lit.

À son tour, l'enfant frappa à la porte.

– Mère-grand, êtes-vous là ? C'est moi, le petit Chaperon Rouge
qui vous apporte des galettes et un pot de beurre.

– Oui, oui, tire la chevillette et la bobinette cherra...

– Dis, Minou, Mère-grand a une drôle de voix aujourd'hui, elle doit être
enrhumée, s'étonna l'enfant.

Le petit Chaperon Rouge ouvrit la porte et entra.

Le vilain loup se cachait
tant bien que mal sous les
couvertures.
– Pose ton panier sur la table
et viens près de moi, dit-il.
– Mère-grand, je vais vous
préparer une bonne tisane,
vous avez la voix enrouée !
– Viens d'abord me donner
un baiser ! insista le loup.
La fillette obéit.

Elle s'approcha du lit et fut bien étonnée lorsqu'elle vit sa grand-mère.
– Mais, Mère-grand, comme vous avez de grands bras !
– C'est pour mieux t'étreindre, mon enfant.
– Et comme vous avez de grandes oreilles, s'exlama la fillette.
– C'est pour mieux t'entendre, ma chérie.
– Mais, Mère-grand, vous avez aussi de grands yeux !
– C'est pour mieux te voir...
– Et ces grandes dents ! s'inquiéta le petit Chaperon Rouge.
– C'est pour mieux te manger !
À cet instant, le loup se retourna, bondit sur l'enfant et la mangea !

Oh, oh ! Quelles bonnes prises, jamais je n'ai connu
une journée aussi faste que celle-ci, se réjouit le loup,
j'ai mangé pour un mois ! Alors, il s'effondra à
l'ombre d'un vieil arbre et s'endormit, le ventre rond et
lourd. Mais il ronflait si fort qu'un chasseur l'entendit.
Sur la pointe des pieds, l'homme s'approcha de l'arbre.
Lorsqu'il vit l'animal, il comprit aussitôt.
– Le misérable loup ! Il a mangé la grand-mère et
peut-être même le petit Chaperon Rouge !

Le chasseur avait un grand couteau et, d'un coup, il ouvrit le ventre du loup assoupi.
– Mesdames, quelle chance que je sois passé par là !
Mère-grand et le petit Chaperon Rouge étaient bien vivantes et, après avoir pris un grand bol d'air, elles s'embrassèrent !
– Voici un loup qui ne nuira plus jamais à personne, dit le chasseur en riant.

Après avoir mangé quelques galettes et bu un grand bol de lait chaud, il fut temps pour le petit Chaperon Rouge de rentrer à la maison.
– Je vais raccompagner la petite au village, suggéra le chasseur.
– C'est une très bonne idée, mon ami, dit Mère-grand. Et, à l'avenir, fillette, tu ne viendras plus par la forêt et tu n'adresseras plus la parole aux inconnus !
– C'est promis, grand-mère ! répondit le petit Chaperon Rouge.

Le Chat Botté

Il était une fois un pauvre meunier qui avait
trois fils. À sa mort, il ne leur laissa
qu'un bien maigre héritage.
L' aîné reçut le moulin, le second eut l'âne,
tandis que le cadet hérita d'un chat
et de trois écus.

– Que faire d'un chat et de trois écus ? gémit le cadet.
– Maître, cesse de te plaindre, trouve-moi de beaux
vêtements et une paire de bottes, lui dit le chat.
Je ferai de toi l'homme le plus riche de la terre !
Le jeune homme savait que son chat était très rusé
et il s'empressa de lui procurer tout ce qu'il lui demandait.
– Et voilà, je me présente : je suis le Chat Botté !
Puis le matou prit un grand sac et alla dans les champs
attraper quelques lapins bien gras.

Le Chat Botté, très élégant, se présenta au roi du pays. Il lui fit la révérence,
comme il se doit, et ouvrit son sac.
– Voici, Votre Altesse, un présent de la part de mon maître, le marquis de Carabas !
– Hum, des lapins, je suis ravi, s'exclama le roi.
Sachant que le roi était un gastronome averti, le chat revint chaque jour
avec de nouveaux cadeaux : des lièvres, des perdrix ou des faisans !
– Un tel maître ! J'aimerais le connaître, dit un jour le roi.
– Je m'empresse de le lui dire, Votre Altesse...

Mais la ruse du chat ne s'arrêta pas là. Un matin,
sachant que le carrosse du roi passerait près
de la rivière, il y emmena son maître.
– Vite, déshabille-toi et saute à l'eau.
– Mais elle est glacée ! gémit le jeune homme.
– Au secours, au secours ! Le marquis de Carabas
se noie, cria le chat.
En effet, le Roi ne tarda pas à venir et, voyant
que le jeune homme se noyait, il ordonna à ses gardes
de le secourir.

Tandis que le Chat Botté expliquait au roi que son maître
avait été dépouillé de ses vêtements par des brigands,
le marquis remarqua la présence de la douce princesse Emeline,
fille du roi. Celle-ci le trouvait fort bel homme et très distingué.
Ils échangèrent quelques regards tendres, discrets, et lorsqu'il s'adressa
à la belle, elle ressentit une telle émotion qu'elle ne put prononcer un mot.
– Princesse, ne vous méprenez pas, je n'ai pas l'habitude
de me présenter si peu vêtu aux demoiselles que je rencontre,
je suis le marquis de Carabas !

– Montez dans mon carrosse, marquis, dit le roi, nous achèverons
cette promenade ensemble.
Entre-temps, le chat, ravi de voir que tout se réalisait comme il le voulait,
prit les devants et rencontra des paysans qui fauchaient leurs champs.
– Braves gens, braves gens, cria-t-il, le roi passera bientôt par ici.
S'il vous pose des questions, dites-lui que toutes ces terres appartiennent
au marquis de Carabas ; sinon, je vous ferai donner des coups de bâton !

Le chat parcourut ainsi toute la contrée, répétant à chacun les mêmes mots. Soudain, sur une colline, il vit un superbe château.

– À qui appartient cette demeure ? demanda-t-il à deux jeunes fermiers.

– N'y allez pas, un ogre vit là-bas; il vous mangerait, pour sûr ! répondirent les deux hommes.

– Dorénavant, les menaça le chat, vous direz que ce château appartient au marquis de Carabas !

" Quant à cet ogre, je m'en charge ! " pensa-t-il.

Le Chat Botté frappa à la porte. Un valet vint lui ouvrir et le conduisit auprès de l'ogre. Celui-ci mangeait, comme le font tous les ogres, du matin jusqu'au soir.

Il était très grand et très gros, et il n'aurait pas dédaigné croquer ce petit chat, de ses dents pointues.

– Votre Altesse, c'est un tel honneur pour moi de pouvoir rencontrer un puissant seigneur comme vous ! fit le chat avec une ample révérence.

L'ogre, amusé par tant d'audace, l'écouta.

– On m'a dit tant de bien de vous ! ajouta le chat. Il paraît même que vous êtes magicien !
– On t'a dit vrai, le chat, je peux me transformer en tout ce que je veux !
Un rugissement puissant fit alors trembler les murs du château : l'ogre venait de se transformer en un terrible lion.
– C'est... c'est formidable ! fit le chat, une fois remis de sa frayeur.

Et, reprenant courage, il poursuivit :
– On m'a assuré également que vous pouviez prendre la forme d'un...
tout petit animal ! Euh... une... une toute petite souris, par exemple ?
Mais cela me paraît impossible !
– Impossible ! hurla l'ogre. Alors, ouvre grand les yeux !
Et, à l'instant, il se transforma en souris.
– Hourra ! Je vous ai eu, et mon déjeuner est servi !
Vif comme l'éclair, le Chat Botté bondit
sur la souris et la croqua avec appétit.
À présent, le château était libre
de tout occupant...

Pendant ce temps, le roi continuait
sa promenade, lorsque, soudain, il aperçut,
lui aussi, ce magnifique château.
– Halte, cocher ! J'ai une question à poser
à ces deux fermiers. Messieurs, à qui
appartient ce château sur la colline ?
– Au marquis de Carabas, répondirent-ils
en chœur.

– Marquis, voici une bien belle demeure,
jamais je n'ai admiré pareille construction !
dit le roi, ébahi. Je me réjouis de la visiter !
Et il ordonna à son cocher de prendre l'allée qui
menait au château.

Le marquis prit la main de la princesse et la guida
vers la grande salle des fêtes.
Là, une surprise les attendait : des plats chargés
de mets les plus variés garnissaient les tables.
– Sire, prenez place, dit le chat.
Il y avait là de quoi ravir le plus fin des gourmets.
– Qu'on apporte le meilleur vin pour Sa Majesté !

Pendant que le roi se régalait, le marquis
et la princesse échangeaient des mots doux.
Ils étaient tombés éperdument amoureux l'un de l'autre.
Du coin de l'œil, le roi observait cette idylle naissante. Puis,
après cinq ou six verres de vin de Bourgogne, il déclara :
– Marquis, vous m'avez honoré et charmé par votre accueil
et je vois que votre cœur appartient déjà à ma fille.
Mariez-vous dès demain, je vous donne ma bénédiction !

– Voilà ce qui peut vous arriver si vous rencontrez
un matou aussi rusé que moi ! conclut le chat.
Vous ferez fortune et vous serez heureux !
À présent, je suis un grand seigneur et je ne passe plus
mon temps à chasser les souris !

Boucle d'Or et les trois ours

Connaissez-vous Boucle d'Or ? C'est une jolie petite fille
aux beaux cheveux blonds. Mais cette petite fille est très curieuse.
Un jour, lors d'une promenade, elle aperçoit une maisonnette
nichée entre de grands arbres. Boucle d'Or décide aussitôt de la visiter.

Voici donc la fillette qui pénètre dans la petite maison.
À peine a-t-elle franchi la porte d'entrée qu'elle voit
une grande cheminée et une table dressée. Trois chaises de
hauteur différente l'entourent. Une soupière y est posée, ainsi
que trois bols : un petit, un moyen et un grand. Étonnant !

Boucle d'Or s'approche de la table et voit, toute contente,
que les trois bols contiennent le plat qu'elle aime par-dessus tout :
du gruau. La fillette, très gourmande de nature, ne peut résister
à la tentation. Elle goûte le contenu du petit bol.
– Hum, que c'est bon ! se dit-elle tout en poursuivant son repas.
Elle mange le gruau jusqu'à la dernière cuillerée, puis pousse un soupir
de satisfaction. Elle n'a plus faim.

Boucle d'Or se met alors à regarder tout autour d'elle et remarque un petit tabouret, garni d'un charmant coussin à gros pois rouges. Elle court s'y asseoir. Mal lui en prend ! Le tabouret ne résiste pas à son poids et c'est la chute. La voici par terre au milieu des débris du petit siège.

Notre amie se sent soudain
fatiguée.
– Où trouver un lit ? se demande-t-elle.
Allons voir en haut ! Arrivée au premier étage,
elle voit en effet une grande chambre avec trois lits :
un grand, un moyen et un petit.
Boucle d'Or se glisse doucement dans le petit lit.
– Mais qui donc peut bien vivre ici ? pense-t-elle juste
avant de s'endormir.

La jolie petite maison cachée dans la forêt est bel et bien habitée :
Maman, Papa et Petit Ours vivent là.
Leur promenade se termine et ils s'en retournent chez eux,
où un bon repas les attend. Petit Ours précède ses parents
en jouant au cerceau. Monsieur Hibou les salue au passage,
abandonnant un instant la lecture de son journal. Maman Lapin
prend l'air à l'entrée de son terrier avec ses trois lapereaux.

Papa Ours est perplexe devant ce désordre. Qui a bien pu pénétrer ici ?
Maman Ours inspecte les bols, tandis que Petit Ours, dépité et chagriné,
contemple son bol vide et son tabouret cassé.

Papa Ours a vite fait le tour du rez-de-chaussée. Rien en vue.
— Allons voir dans la chambre, dit-il alors, et ils se rendent
tous les trois à l'étage. La porte palière est grand ouverte.
— Silence, chuchote Papa Ours, nous allons surprendre notre visiteur
inattendu. Marchons sans faire de bruit.

Arrivés dans la grande chambre, ils aperçoivent Boucle d'Or, endormie dans le petit lit. Cette dernière s'éveille brusquement et découvre, devant elle, trois ours pas contents du tout. La petite fille, prise de peur, se recroqueville sous les couvertures.

– Je vais tout vous expliquer, bredouille-t-elle d'une petite voix tremblante.

– Je l'espère bien ! répond aussitôt Papa Ours de sa voix la plus sévère. Que faites-vous chez nous ?

– Je me promenais dans la forêt quand j'ai vu votre maison, répond la petite fille d'une voix craintive. Je suis entrée et je n'ai pu résister au gruau. J'ai tout mangé, puis, comme j'avais sommeil, je suis montée me coucher. Voilà, c'est tout !

Papa Ours ne semble pas convaincu et son expression sévère donne
la chair de poule à notre amie.
– Que vont-ils me faire ? se demande-t-elle avec angoisse. Je ne
pourrai peut-être jamais rentrer chez mes parents. Que j'ai peur !

D'un bond, Boucle d'Or saute hors du lit et se précipite vers la fenêtre, la seule issue qui s'ouvre à elle.

– Attendez, ne faites pas ça, lui crie Papa Ours.

– Nous ne vous voulons aucun mal. Nous ne sommes pas fâchés, seulement surpris. Mettez-vous à notre place : trouver quelqu'un endormi dans notre chambre !

La petite fille se retourne et, après quelques instants, sourit, rassurée.
L'atmosphère se détend.
— Restez donc encore avec nous, lui propose Maman Ours. Notre fils a
tant envie de jouer avec vous.
Boucle d'Or joue alors tout l'après-midi avec Petit Ours. Ensuite, elle
quitte la petite maison dans la forêt; mais elle reviendra souvent rendre
visite à ses nouveaux amis !

La petite Poucette

Dans une maisonnette, près d'une rivière, vivait,
il y a très longtemps, une brave dame.
Elle était fort triste, car elle n'avait pas d'enfant !
Mais un jour, elle découvrit au cœur d'une rose
une petite fille toute mignonne,
qu'une bonne fée y avait déposée.

Oh ! qu'elle était belle, cette enfant, et comme elle n'était pas plus grande que le pouce, la brave femme lui donna le nom de Poucette. Au fil des années, Poucette s'était fait beaucoup d'amies : des coccinelles, des libellules, des abeilles et bien d'autres encore avec lesquelles elle adorait jouer et folâtrer près de la rivière.
– Chut, Poucette s'est endormie, chuchota une des coccinelles, restons là et veillons sur elle.
Allongée sur un nénuphar, la jeune fille assoupie se laissait bercer par l'eau.

Mais... malheur ! Personne ne vit
un vilain crapaud surgir de l'eau.
– Quelle ravisante petite ! pense-t-il, elle fera
une épouse parfaite pour mon fils,
je l'emmène aussitôt.
Le crapaud coupe la tige du nénuphar
et va le cacher entre les roseaux !
– Dors, ma belle, fais de beaux rêves,
 je vais chercher mon fils et vous vous marierez...

Lorsqu'elle se réveilla, Poucette ouvrit grand les yeux
et se mit à pleurer.
– Où suis-je ? Maman, maman !
Hélas, la fillette avait beau crier, personne ne lui répondait.
Elle grimpa sur un roseau quand, tout à coup, une truite
bondit hors de l'eau.
– Ne fais plus de bruit, Poucette, c'est le crapaud
qui t'a enlevée. Il faut que tu partes tout de suite !
– Viens, lui dit alors un papillon, je vais te conduire
chez mes amis dans le bois, ils prendront soin de toi.

Poucette n'avait pas le choix et c'est bien volontiers qu'elle suivit le papillon.
Mais lorsqu'elle passa la tête sous les feuillages, elle poussa un grand "oh" d'admiration.
Jamais elle n'avait vu pareille scène. Ce petit bois regorgeait de fruits les uns plus gros
que les autres ! Il y avait là des framboises, des mûres et des fraises des bois
qui n'attendaient que d'être croquées !
– Mange, Poucette, mange, il y en a assez, et tu dois avoir faim, lui dit la chenille.

Hélas, les mois s'écoulèrent et, avec l'hiver, arrivèrent la neige et le froid. Les petits amis de Poucette se protégeaient dans leurs abris, certains même étaient partis. Poucette, quant à elle, ne savait guère où aller. Elle errait dans la neige, enveloppée dans une grande feuille d'érable, mais ses mains et ses pieds commençaient à geler ! Elle était très fatiguée ; les forces commençaient à lui manquer, car elle ne trouvait plus rien à manger.

Tout à coup, devant elle, une porte s'ouvrit et une souris apparut.

– Pauvre petite, dit madame Souris, tu vas mourir de froid ! Entre, viens manger et te réchauffer.

Poucette était si douce et si gentille que madame Souris la garda auprès d'elle.
Elle lui confectionnait de jolies robes, tandis que Poucette l'aidait à faire
le ménage. Depuis que la jeune fille habitait chez madame Souris,
monsieur Taupe venait très souvent faire la causette tout en jetant
un regard tendre vers la belle petite.
" Un beau brin de fille ! " se disait-il.

L'été avait généreusement déversé ses rayons de soleil sur la campagne, et les oiseaux s'apprêtaient pour leur grande migration vers les pays chauds. Mais un matin, en allant à la rivière, Poucette découvrit une hirondelle inanimée dans l'herbe. Monsieur Taupe et madame Souris l'emmenèrent aussitôt dans la maison.

– Oh ! elle est blessée à l'aile, dit Poucette.

– Je vais vite nettoyer la plaie avec de l'eau, dit madame Souris.

Le temps passa. Des nuits entières, Poucette veilla sur l'hirondelle,
qui devint très vite son amie. Elle lui donnait à boire dans une coquille
de noisette, lui caressait la tête et lui procurait chaque jour
de la nourriture fraîche. Parfois même, Poucette s'endormait
aux côtés de l'oiseau.
– Bientôt, tu pourras à nouveau voler, lui promit-elle.
– Et ce sera grâce à toi, petite Poucette, lui répondit l'hirondelle
reconnaissante.

Enfin, le grand jour arriva. Délicatement,
Poucette enleva le bandage de l'oiseau.
Du haut de la taupinière, les trois amis
aidèrent l'hirondelle à prendre son envol.
– Poucette, je ne t'oublierai jamais...
– Bon voyage, et à l'année prochaine !

Au fil des saisons, Poucette perdit tout espoir de revoir sa maman et, lorsqu'au printemps suivant, monsieur Taupe vint la demander en mariage, elle s'effondra en larmes.

– J'aime la lumière, le soleil, le vent; je ne peux pas vivre sous terre...

– Voyons, réfléchis, dit madame Souris pour la consoler, monsieur Taupe est un brave garçon, il prendra bien soin de toi.

Mais Poucette ne pouvait accepter
un tel mariage. Et un matin, elle s'enfuit
dans les champs. Tout à coup, là-haut
dans le ciel, Poucette aperçut son amie
l'hirondelle. Heureusement, près d'elle,
une grande marguerite tendait sa tête
vers le soleil. Poucette grimpa le long
de la tige et appela son amie.
La jeune fille lui raconta toute son histoire
et l'horrible projet de mariage.
– Viens, monte sur mon dos, je connais
un pays où tu seras heureuse, dit l'oiseau.

Poucette et l'hirondelle survolèrent
de nombreuses régions, toutes les unes
plus belles que les autres.
– C'est merveilleux ! dit Poucette,
j'ai l'impression d'être si grande,
et qu'en bas tout est si petit !
Regarde, là-bas, toutes ces couleurs !
– Nous arrivons, c'est le pays des fleurs,
dit l'hirondelle.
Doucement, elle se posa au cœur
d'un massif de fleurs blanches. Partout,
de jolies petites frimousses pointèrent
le bout de leur nez.
– Oh ! Ils ont la même taille que moi.
– Ce sont les elfes, mes amis !

Parmi les elfes, il y avait un prince et,
au premier regard, Poucette et lui surent
qu'ils étaient faits l'un pour l'autre.
Ils se marièrent le soir même, au clair
de la lune. Poucette sentit alors des ailes
lui pousser et elle devint un elfe à son tour.
– Demain, nous irons chez maman,
je ne l'ai plus vue depuis si longtemps,
lui dit-elle...

Blanche-Neige

et les sept nains

Tout en brodant près de la fenêtre,
une jeune reine rêvait à l'enfant
qu'elle attendait.
– J'aimerais avoir une fillette dont
le teint serait blanc comme la neige,
les lèvres rouges comme le sang
et les cheveux noirs comme l'ébène.

Son vœu fut exaucé et la reine mit au monde l'enfant qu'elle désirait.
Elle l'appela Blanche-Neige. Hélas, la jeune femme mourut quelques jours
plus tard et la fillette grandit aux côtés de son père.
Les années passèrent ; le roi, ne supportant plus la solitude, se remaria
avec une femme très fière de sa grande beauté. Elle possédait
un miroir magique, qu'elle questionnait chaque jour.
– Miroir, miroir, qui est la plus belle du royaume ?
– Vous êtes la plus belle de toutes, lui répondait le miroir.

À la mort du roi son père, Blanche-Neige, qui avait grandi,
était devenue plus belle que la reine. Jalouse d'une telle beauté,
celle-ci questionna son miroir magique...
– Vous êtes très belle, Majesté, mais Blanche-Neige, dont le teint
est pur comme la neige, est cent fois plus belle que vous !
La reine entra alors dans une terrible colère !
– Blanche-Neige mourra ! hurla-t-elle.

La reine convoqua son chasseur.
– Tu emmèneras la princesse dans la forêt et là,
tu la tueras. Je te donne ce coffret; tu y mettras
son cœur et tu me le rapporteras ! Prends garde
à toi, si tu essaies de me trahir,
tu mourras ! le menaça la reine.
Le chasseur, terrifié, se retira pour exécuter
les ordres qui lui avaient été dictés.

Une fois dans la forêt, le chasseur n'eut pas
la force de tuer une jeune fille si pure.
– Fuyez, Blanche-Neige, fuyez !
La reine veut votre mort, tant elle est jalouse
de votre beauté. Et ne revenez jamais
au château !
Pour tromper la reine, le chasseur tua
un animal sauvage, lui prit le cœur
et le plaça dans le coffret.

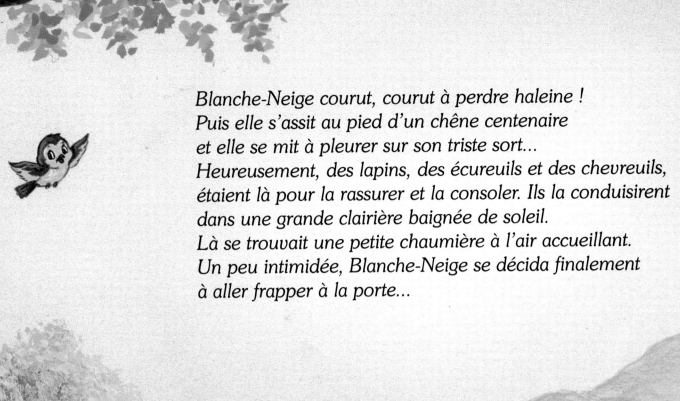

Blanche-Neige courut, courut à perdre haleine !
Puis elle s'assit au pied d'un chêne centenaire
et elle se mit à pleurer sur son triste sort...
Heureusement, des lapins, des écureuils et des chevreuils,
étaient là pour la rassurer et la consoler. Ils la conduisirent
dans une grande clairière baignée de soleil.
Là se trouvait une petite chaumière à l'air accueillant.
Un peu intimidée, Blanche-Neige se décida finalement
à aller frapper à la porte...

Comme elle n'obtenait pas de réponse, la jeune fille entra...
Curieusement, pour passer le linteau, elle dut se baisser !
À l'intérieur, tout était de dimensions réduites : de petites chaises,
une petite table, de petits gobelets, comme si c'étaient des enfants
qui habitaient là ! Et quel désordre !
" En tout cas, ceux qui vivent ici ne font pas souvent le ménage ! "
pensa Blanche-Neige.
La jeune fille rangea tout, fit la vaisselle et lava le sol à grande eau.

Épuisée, Blanche-Neige s'assoupit en travers des petits lits des mystérieux habitants.
Ceux-ci, les sept nains, revinrent un peu plus tard de leur travail à la mine...
– Hé, les gars, il y a quelqu'un chez nous ! cria l'un d'eux.
– Oui ! Et il a tout rangé et tout nettoyé, c'est formidable !
– Oh ! regardez, c'est une jeune fille !
Les nains la réveillèrent en douceur. Blanche-Neige leur raconta
sa triste histoire.
Alors, ils lui proposèrent
d'habiter chez eux
en échange de menus
travaux de ménage
et de couture...

Pendant ce temps, la reine interrogeait
son miroir magique.
– Reine, ô ma reine, Blanche-Neige
est toujours la plus belle !
– Comment ? Que dis-tu ?
Blanche-Neige n'est pas morte ? !
Je vais m'en occuper moi-même !
La reine alla alors dans la plus profonde
cave
du château, qui lui servait de repaire
de magicienne et fabriqua un poison
foudroyant.
– Quelques gouttes de ce produit
sur une pomme suffiront à plonger
Blanche-Neige dans un profond
sommeil ! Seul le baiser d'un prince
pourrait la réveiller, mais cela n'arrivera
pas puisque les nains l'enterreront,
la croyant morte !
Puis la reine se déguisa en vieille
mendiante et prit le chemin
de la chaumière des sept nains.

Blanche-Neige, avec son grand cœur, ne se méfia pas de cette vieille femme qui lui offrait une pomme.
Mais dès qu'elle en eut croqué un morceau, elle s'écroula sur le sol, inanimée.
Les nains accoururent, mais il était trop tard : la reine sorcière avait disparu, son méfait accompli !
Et ils eurent beau tout tenter, il n'y eut rien à faire pour ramener Blanche-Neige à la vie...

Les nains ne purent se résoudre à enterrer
leur grande amie Blanche-Neige. Ils lui fabriquèrent
alors un magnifique cercueil d'or et de cristal.
Ils y déposèrent son corps inanimé, au cœur
d'une petite clairière paisible, sur un tapis
de fleurs blanches... Comme par enchantement,
les roses qu'ils avaient placées entre ses fines mains
conservaient la même fraîcheur, jour après jour...

Un beau matin, un prince passa par cette clairière. Il fut ébloui par la beauté de la jeune fille.

– Qui repose là ? demanda-t-il aux nains, qui la veillaient.

– C'est la princesse Blanche-Neige, dit l'un d'eux en sanglotant.

Le prince, ému, leur demanda la permission de poser un baiser sur son front ; ce que les nains lui accordèrent bien volontiers et...

Blanche-Neige se réveilla !

Ouvrant les yeux, immédiatement, elle tomba amoureuse du prince, son sauveur.

– Hourra ! Vive le prince ! Vive Blanche-Neige !

Les sept nains étaient au comble du bonheur.

Le prince emmena la jeune beauté en son château.

Le lendemain même, ils se marièrent et ne se quittèrent plus jamais.

Les nains leur promirent de venir souvent leur rendre visite. Et ils tinrent leur promesse !

– Quoi ? Blanche-Neige vit toujours !
Maudit miroir ! Que me dis-tu là ? C'est impossible !
La reine entra dans une rage folle. Dans une crise
de démence, elle brisa son miroir en mille morceaux
et démolit tout, autour d'elle.
Dans d'atroces souffrances, la méchante reine mourut,
étouffée par les vapeurs pestilentielles des poisons
qu'elle avait renversés !
Le bien triomphe toujours du mal !